57
폴리페모스에게 맞선 오디세우스

주니어RHK

신화의 가치

신화는 한 민족의 기원이나 역사적 · 종교적 · 문화적 삶의 모습을 보여 주는 옛이야기입니다. 주로 신과 영웅에 관한 이야기가 많고, 오랫동안 입에서 입으로 전해 내려왔다는 특징이 있지요.

우리가 살펴볼 그리스 로마 신화는 고대 그리스와 로마에 전해 오는 신화와 전설을 한데 묶은 것입니다. 그리스 로마 신화는 고대의 삶을 엿보게 해 주는 문화유산일 뿐만 아니라, 세계 여러 나라의 문학과 미술에 큰 영향을 끼쳤습니다. 하지만 문화적 가치만큼이나 중요한 것이 또 있습니다. 오래된 옛이야기이면서도 거기에 담긴 교훈적 가치가 오늘날에도 여전히 쓸모 있고 중요하다는 사실입니다.

놀랍지 않나요? 수천 년 전의 이야기가 어떻게 과학 문명이 고도로 발달한 오늘날에도 통하는 것일까요? 그것은 바로 그리스 로마 신화에 나오는 신과 영웅의 모습이 오늘날 우리의 모습과 다르지 않기 때문입니다. 신들도 우리처럼 분노하고, 질투하고, 실수를 하지요. 그런 모습을 보면서 우리는 깔깔 웃거나 눈물을 흘리고, 교훈과 감동을 얻습니다. 우리가 그리스 로마 신화를 읽어야 하는 까닭이 바로 이것입니다.

신화의 세계로 떠날 여러분에게 한마디 덧붙이자면, 신화는 우리에게 끝없는 상상력을 요구한다는 점입니다. 신화 속에는 수많은 은유와 상징이 곳곳에 널려 있지요. 따라서 신화를 읽을 때에는 상상력을 최대한 발휘하여 신화 속에 숨겨진 의미를 찾고, 그것을 자기 나름대로 재해석하는 과정이 필요합니다. 이렇게 읽었을 때에야 비로소 여러분 앞에 놀라운 삶의 이야기가 펼쳐질 것입니다.

자, 그럼 흥미진진한 신화의 세계 속으로 함께 떠나 볼까요?

오디세우스는 그리스 신화 속에서도 독특한 성격의 영웅입니다.
다른 사람과 대화를 통해 협상하기도 하고,
참을성 있게 기다리며 알맞은 때를 기다리기도 하지요.
십여 년에 걸친 트로이 전쟁 끝에 집으로 돌아가려는 오디세우스,
그는 과연 험난한 바다와 여러 사건들을 이기고
집으로 돌아갈 수 있을까요?

주요 등장인물

⚜ 폴리페모스 ⚜

외눈박이 거인 족인 키클롭스 중 하나예요. 바다의 신 포세이돈과 님프 사이에서 태어난 아들인데 키클롭스 중에서도 가장 난폭하고 무시무시해요.

⚜ 로토파고스 섬 사람들 ⚜

연꽃 음식을 먹는 섬의 사람들이에요. 겉으로는 무척 친절하고 착해 보이지만 속을 알 수 없어요.

⚜ 에우리로코스 ⚜

오디세우스의 아내 페넬로페의 오빠이자 오디세우스가 이끄는 군대의 부대장이에요. 트로이 전쟁 때부터 오디세우스 곁에 머물며 온갖 일을 함께 겪었지요. 대장 오디세우스를 믿고 따르며, 무척 신중해요.

⚜ 오디세우스 ⚜

이타케 섬의 왕으로 트로이 전쟁의 영웅이에요. 아킬레우스가 죽은 뒤 위기에 빠진 그리스 군을 승리로 이끌어요. 이후 집에 돌아갈 때까지 아주 오랫동안 모험을 해요. 사려 깊고 현명해요.

1
연꽃에 취한 부하들

"정말 배부르게 잘 먹었다. 여기는 참 좋은 곳이군."

"그렇지? 난 여기서 그냥 살고 싶어."

"나도 그래. 고향이고 뭐고 그냥 여기 있을래."

오디세우스는 트로이 전쟁을 승리로 이끈 그리스의 영웅입니다. 십 년 넘게 이어진 전쟁이 마침내 끝나자 오디세우스는 비로소 집으로 돌아갈 수 있게 되었습니다. 오디세우스는 부하들에게 집으로 돌아갈 준비를 하라고 명령을 내렸습니다. 짐을 챙기는 부하들을 바라보면서 오디세우스는 깊은 생각에 잠겼습니다.

'그동안 얼마나 변했을까?'

오디세우스에게는 아름다운 아내 페넬로페와 아들 텔레마코스가 있었습니다. 십 년이나 떨어져 지냈으니 가족을 향한 그리움은 이루 말할 수 없었습니다.

"준비가 다 끝났습니다."

부대장인 에우리로코스의 보고를 받자, 오디세우스는 열두 척의 배를 이끌고 고향인 이타케로 향했습니다.

고향으로 가는 길은 험난했습니다. 바다의 신 포세이돈이 오디세우스를 달갑지 않게 생각했기 때문입니다. 오디세우스는 포세이돈의 방해를 피하면서 고향으로 가야 했지요.

떠돌던 오디세우스 *일행이 가장 먼저 도착한 땅은 이스마로스였습니다. 하지만 그곳에 사는 키코네스 족은 오디세우스 일행을 공격했습니다. 뜻밖의 공격에 당황한 오디세우스는 배 한 척과 부하들을 잃고 말았습니다.

그다음 오디세우스 일행을 괴롭힌 것은 이제껏 겪어 보지 못한 극심한 파도였습니다. 오디세우스 일행은 무려 아흐레 동안을 바다 위에서 이리저리 떠다녔습니다. 배가 요동치는 것보다도 참기 힘든 것은 굶주림이었습니다.

"저기 섬이 있습니다."

오디세우스를 싫어한 포세이돈

포세이돈이 유달리 오디세우스를 싫어한 데는 여러 이유가 있어요. 트로이 전생 당시 트로이에 들어간 그리스 병사들이 신전을 더럽히며 행패를 부렸기 때문이라는 이야기도 있고, 포세이돈의 아들 폴리페모스의 눈을 오디세우스가 멀게 하리라는 신탁 때문이라고도 하지요. 포세이돈은 오디세우스가 폴리페모스와 만나기 전에 죽기를 바랐지만, 그 뜻은 끝내 이루어지지 않아요.

***일행** 함께 길을 가는 사람들의 무리.

한참을 가다 보니 마을이 나타났습니다. *순박해 보이는 사람들이 평화롭게 지내는 것으로 보아 험악한 일이 일어날 것 같지는 않았습니다. 세 명의 병사는 용기를 내어 마을로 갔습니다. 마을 사람 하나가 그들을 반갑게 맞이했습니다.

"멀리서 오셨군요. 로토파고스 섬에 오신 것을 환영합니다."

"로토파고스라면?"

"연꽃 음식을 먹는 사람들이 사는 나라랍니다. 이리 와서 음식을 좀 드십시오."

세 명의 병사들이 그 사람의 뒤를 따라가자 마을 사람들이 모여들어 세 사람을 환영했습니다. 사람들이 커다란 돌 식탁에 음식을 내놓자 배가 고팠던 세 사람은 허겁지겁 먹기 시작했습니다.

"이렇게 맛있는 음식은 처음 먹어 보는걸."

"도대체 무엇으로 만든 걸까?"

병사들을 지켜보던 마을 사람 하나가 대답했습니다.

"연꽃과 그 열매로 만든 음식이랍니다."

세 사람은 자기 앞에 놓인 음식들을 남김없이 다 먹었습니다. 마을 사람들이 더 가져다주는 음식도 거절하지 않았습니다. 한참 후 세 사람은 마침내 음식 그릇에서 손을 뗐습니다.

"정말 배부르게 잘 먹었다. 여기는 참 좋은 곳이군."

"그렇지? 난 여기서 그냥 살고 싶어."

"나도 그래. 고향이고 뭐고 그냥 여기 있을래."

세 명의 병사들이 시간이 흘러도 돌아오지 않자, 오디세우스는 그들에게 무슨 일이 생겼다는 것을 알아챘습니다. 오디세우스는 자신이 직접 부하 몇 명을 데리고 섬 안쪽으로 들어가기로 했습니다.

신성한 꽃 로터스

로터스는 연과 수련을 한데 이르는 말이에요. 그리스 신화에서는 님프인 로티스가 자신을 쫓아다니는 프리아포스를 피해 로터스로 변했다고 해요. 프리아포스는 디오니소스와 아프로디테의 아들로 일컬어지는 풍요와 남성의 신이랍니다. 한편 드리오페라는 공주는 이 로터스를 함부로 꺾었다가 포플러 나무가 되기도 했어요. 로터스는 함부로 건드릴 수 없는 신성함을 상징한다고 전해져요.

오디세우스는 걸어가는 동안 수많은 연꽃을 보았습니다. 연꽃은 무척 아름다웠지만 무언지 알 수 없는 이상한 분위기를 풍겼습니다.

'연꽃이 참 아름답군. 하지만 연꽃이 왜 이리 많은 것일까?'

그때 마을 사람들이 다가와 오디세우스에게 말을 걸었습니다.

"환영합니다. 저희가 맛있는 음식을 준비했습니다."

오디세우스와 부하들은 *선량해 보이는 마을 사람들을 믿고 따라가기로 했습니다. 잠시 후, 오디세우스의 눈에 먼저 마을로 갔던 세 명의 병사가 보였습니다. 그들은 무엇인가에 홀린 것 같은 얼굴로 음식을 먹고 있었습니다.

*선량하다 성품이 착하고 어질다.

“너희, 여기서 뭘 하는 것이냐?”

오디세우스의 고함 소리를 듣고도 세 사람은 놀라지 않았습니다. 세 사람은 바보 같은 웃음을 지으며 오디세우스에게 음식을 권했습니다.

“이거 한번 드셔 보세요. 정말 맛이 있습니다.”

“신기하게 기분도 좋아진다니까요.”

오디세우스는 세 사람을 꾸짖으려다 문득 그들이 보통 때와는 다르다는 사실을 깨달았습니다. 오디세우스는 세 사람이 내민 음식을 살짝 맛보았습니다.

'이상한 *향내가 나는군. 이것은…….'

오디세우스는 연꽃으로 사람들을 홀리는 나라가 있다는 이야기를 들은 것이 떠올랐습니다. 연꽃과 그 열매로 만든 음식을 먹은 사람은 고향으로 가고 싶은 생각을 완전히 잊어버린다고 했습니다. 오디세우스는 부하들에게 명령했습니다.

"이들을 데리고 배로 돌아가자."

"싫습니다. 저희는 여기가 좋아요."

배에 오른 뒤에도 세 사람은 돌아가게 해 달라고 소리를 지르고 몸부림을 쳤습니다. 오디세우스는 부하들을 시켜 세 사람을 기둥에 묶어 두었습니다. 오디세우스 일행은 연꽃 향기가 감도는 섬을 떠나 다시 바다로 향했습니다.

***향내** 향기로운 냄새.

2
외눈박이 거인 폴리페모스

폴리페모스는 갑자기 손을 쭉 뻗었습니다.

그러더니 오디세우스의 부하 두 명을 잡아 벽으로 집어던진 후,

쓰러진 두 사람을 입속에 넣었습니다.

너무도 놀라운 광경에 모두들 고개를 돌리고 말았습니다.

힘든 *항해를 이어 나가던 오디세우스 일행 앞에 또 다른 섬이 나타났습니다. 에우리로코스가 낮은 한숨을 쉬었습니다.

“무슨 일인가? 이 섬에 대해서 아는 것이라도 있나?”

“제가 생각하기에는 키클롭스들이 사는 섬 같습니다. 키클롭스는 이마 한가운데 커다란 눈이 하나씩 달린 거인들입니다. 위험할 것 같으니 다른 곳을 찾아보는 것이 좋겠습니다.”

오디세우스는 잠시 생각에 잠겼습니다. 부하들은 이미 지칠 대로 지쳐 있었습니다. 로토파고스 섬을 떠난 이후로는 제대로 먹지도 못했습니다. 이대로 바다를 떠돌다가는 굶어 죽는 일이 생길지도 모릅니다.

“이 섬에 내리도록 하겠다.”

“정말 괜찮겠습니까?”

에우리로코스가 근심 어린 표정으로 물었습니다.

*항해 배를 타고 바다 위를 다님.

오디세우스는 커다란 술 항아리를 번쩍 들었습니다.

"너무 걱정하지 마라. 이 술을 건네며 되도록 평화적으로 일을 해결할 테니까."

거인 족 키클롭스

키클롭스는 우라노스의 자식으로 거인 족에 속해요. 최초의 키클롭스는 눈이 하나이며 손재주가 좋았고 브론테스(천둥), 스테로페스(번개), 아르게스(벼락)라는 세 명으로 전해져요. 이들은 신들의 무기를 맡아서 만드는 대장장이이자 장인이었으며 이후 그리스와 시칠리아 지역의 건축물을 만들었다고도 하지요. 《오디세이아》에 나오는 키클롭스는 이들과는 성격이 좀 달라서 성격이 거칠고, 양을 키우며 살았다고 전해집니다.

오디세우스는 에우리로코스와 몇몇 부하들만 데리고 섬에 내렸습니다. 나머지 부하들에게는 주위에서 먹을 것을 챙긴 뒤 배에 남아 있으라고 했습니다.

한참을 걸어가자 커다란 동굴 하나가 나타났습니다. 오디세우스는 부하들을 보내 동굴을 살피도록 했습니다.

"아무도 없습니다."

오디세우스는 동굴 안으로 들어갔습니다. 들어가 보니 그곳은 단순한 동굴이 아니라 누군가가 살고 있는 집이었습니다.

동굴 안은 먹을 것으로 가득 차 있었습니다. 커다란 돌 위에 양고기가 차곡차곡 쌓여 있었고, 사람보다 훨씬 더 큰 항아리에는 양젖이 가득 들어 있었습니다. 그 밖에 먹을거리들도 여기저기 놓여 있었습니다. 동굴 안에 있는 물건들의 크기 또한 엄청났습니다. 그릇이며 의자, 침대의 크기로 보아 거인이 사는 집이 분명했습니다.

"자, 주인이 올 때까지 조금 기다려 보자. 음식을 나눠 달라고 하면 거절하지는 않겠지."

오디세우스와 부하들은 동굴 벽에 기대앉아 주인이 오기를 기다렸습니다.

사방이 어둑어둑해졌을 무렵 어디선가 쿵쿵 하는 소리가 들렸습니다. 얕은 잠에 빠졌던 오디세우스가 눈을 번쩍 떴습니다. 쿵쿵 소리는 점점 더 크게 들렸습니다.

"자, 일단은 이쪽 구석에 숨어 있자."

오디세우스와 부하들은 벽 한쪽에 붙어 섰습니다. 쿵쿵 소리는 이제 코앞에서 들리는 듯 크게 들려왔습니다. 모두 잔뜩 긴장한 채 동굴 입구 쪽을 쳐다보았습니다.

"아니, 저건!"

부하들 중 한 명이 큰 소리를 내뱉었습니다. 오디세우스는 부하에게 조용히 하라는 신호를 보냈습니다. 하지만 오디세우스 또한 놀라기는 마찬가지였습니다.

동굴 안에 들어온 것은 머리끝도 제대로 보이지 않을 정도로 커다란 괴물이었습니다. 에우리로코스의 말대로 이마에는 커다란 눈이 하나 달려 있었습니다. 바로 키클롭스 가운데 하나이자 이 동굴의 주인인 폴리페모스였습니다.

괴물은 지고 있던 나뭇짐을 바닥에 내려놓은 뒤 다시 동굴 입구로 갔습니다.

오디세우스가 만난 키클롭스

〈키클롭스〉 오딜롱 르동

이마에 커다란 눈이 달린 키클롭스의 모습이에요. 어찌나 큰지 산자락 사이로 불쑥 얼굴이 나와 있어요. 보기만 해도 힘이 어마어마하게 세 보여요. 이야기 속에서는 난폭하고 야만적으로 그려지지만, 그림 속 키클롭스의 눈은 어쩐지 슬프고 순해 보여요.

괴물은 잠시 후 다시 나타났습니다. 이번에는 양 떼와 함께였습니다. 그러고는 다시 입구 쪽으로 갔는데, 뒤이어 세상이 떠나갈 듯한 큰 소리가 났습니다.

"무슨 소리일까요?"

오디세우스는 고개를 살짝 내밀어 주위를 살핀 뒤 말했습니다.

"커다란 바위로 동굴 입구를 막아 버렸구나."

부하들이 울상이 되어 말했습니다.

"꼼짝없이 갇혔습니다. 우린 이제 어떻게 되나요?"

오디세우스는 그 질문에는 답하지 않은 채 돌아오는 괴물의 모습만을 바라보았습니다. 괴물은 항아리를 들더니 양젖을 짜기 시작했습니다. 항아리가 다 차자 항아리째 들고 벌컥벌컥 마셨습니다. 그러고는 다시 양젖을 짜 항아리를 채운 뒤 동굴 한쪽에 밀어 놓았습니다.

그때였습니다. 괴물이 코를 벌름거렸습니다. 주위를 둘러보는 괴물의 눈에 오디세우스 일행이 들어왔습니다.

"너희는 누구냐?"

폴리페모스 동굴의 오디세우스 일행

〈폴리페모스의 동굴 안의 오디세우스〉 야코프 요르단스

오디세우스 일행이 폴리페모스의 동굴에서 거인과 마주친 장면을 그린 그림이에요. 폴리페모스를 보고 겁에 질린 오디세우스의 부하들과, 당당히 맞서는 오디세우스의 모습이 보여요.

오디세우스가 괴물 앞으로 나갔습니다.

“우리는 트로이 전쟁에서 승리를 거두고 돌아가는 그리스 병사들입니다. 먹을 것이 넉넉해 보이는데 우리에게 조금 나누어 주시면 어떻겠습니까?”

그러자 하나뿐인 눈이 튀어나올 것처럼 커진 폴리페모스가 큰 소리로 말했습니다.

“뭐라고? 너희가 뭐라고 감히 내 음식을 노려?”

폴리페모스는 갑자기 손을 쭉 뻗었습니다. 그러더니 오디세우스의 부하 두 명을 잡아 벽으로 집어던진 후, 쓰러진 두 사람을 입속에 넣었습니다. 너무도 놀라운 광경에 모두 고개를 돌리고 말았습니다.

“제법 맛이 있군.”

두 사람을 삼켜 버린 폴리페모스는 이제 오디세우스를 향해 손을 뻗었습니다. 오디세우스가 재빨리 피하자

폴리페모스는 그대로 드러누웠습니다.

"제법 빠르군. 그럼 하루 더 있도록 해. 어차피 도망은 못 갈 테니."

폴리페모스는 눈을 감았습니다. 그러고는 이내 깊은 잠에 빠져들었습니다.

오디세우스는 폴리페모스가 잠든 것을 확인하고 폴리페모스의 목을 향해 칼을 겨누었습니다. 하지만 잠시 후 칼을 거둬들였습니다.

"왜 이 괴물을 해치지 않는 겁니까?"

"아까 괴물이 한 말을 못 들었느냐? 어차피 도망치지 못할 거라는 말 말이다."

오디세우스는 동굴 입구를 가리켰습니다. 그제야 부하들은 폴리페모스를 죽이지 않은 이유를 깨달았습니다. 폴리페모스가 죽으면 그 누구도 저 문을 열 수 없을 테니까요. 오디세우스는 어떻게 하면 이 동굴에서 벗어날 수 있을지 골똘히 생각했습니다.

3
폴리페모스의 눈

"어떻게 하려는 것입니까?"

"괴물이 오면 모두 숨어 있어라.

그다음에는 내가 시키는 대로만 하면 된다."

아침이 되자 폴리페모스는 오디세우스의 부하 두 사람을 또 삼켜 버렸습니다. 그러더니 양 떼를 몰고 밖으로 나가서 동굴 입구를 막았습니다. 폴리페모스가 떠난 것을 확인한 오디세우스는 동굴 안 여기저기를 살펴보았습니다.

"그래, 이거다."

동굴 안에는 폴리페모스가 가져다 놓은 커다란 나무가 놓여 있었습니다. 오디세우스는 부하들을 불렀습니다.

"이리로 와서 이 나무의 끝을 뾰족하게 깎아라!"

부하들은 이유를 몰랐지만 오디세우스를 믿고 시키는 대로 했습니다.

*한나절을 깎아 나무 끝이 뾰족해지자, 오디세우스는 부하들과 함께 나무를 들어 바닥에 깔린 짚더미 속에 감추었습니다.

"어떻게 하려는 것입니까?"

궁금한 에우리로코스가 물었습니다. 오디세우스는 그저 이렇게만 말했습니다.

"괴물이 오면 모두 숨어라. 그다음에는 내가 시키는 대로만 하면 된다."

*한나절 하룻낮의 반.

저녁이 되자 폴리페모스가 양 떼를 몰고 돌아왔습니다. 폴리페모스는 동굴 안이 떠나갈 듯이 소리 질렀습니다.

"널 잡아먹어 주랴?"

오디세우스는 당황하지 않고 배에서 가져왔던 술 항아리를 괴물 앞에 내밀었습니다.

"저희가 가져온 술입니다. 한번 드셔 보시지요."

항아리를 들고 술을 마시던 폴리페모스의 얼굴이 환해졌습니다.

"오호, 무척이나 맛있는 술이로구나. 이런 걸 가져온 걸 보니 꽤 괜찮은 놈이로군. 자, 네 이름이 무엇이냐? 특별히 너를 기억했다 마지막에 잡아먹겠다."

"제 이름은 '우티스'입니다."

우티스는 아무도 아니라는 뜻이었습니다.

"우티스라. 알겠다. 내 꼭 기억해 두마."

폴리페모스는 어제처럼 바닥에 드러누웠습니다. 그러고는 이내 깊은 잠에 빠졌습니다.

포도주를 마신 폴리페모스

폴리페모스가 마신 포도주는 오디세우스가 트로이를 떠난 후 처음 도착한 이스마로스에서 얻은 것입니다. 그곳에서 오디세우스는 자신들을 공격하는 이스마로스의 사람들을 모두 죽여 버렸는데 그중에 아폴론 신의 신관인 마론만은 살려 주었지요. 마론은 그 보답으로 열두 단지의 독한 포도주를 주었는데 폴리페모스가 이것을 마시게 됩니다. 여기서 포도주는 문명의 상징으로 야생의 성격을 지닌 폴리페모스가 문명에 굴복하는 모습을 보여 준다고 해석하기도 하지요.

폴리페모스가 잠에 빠져들자 오디세우스는 부하들에게 손짓을 했습니다. 부하들은 오디세우스의 계획을 알아차리고는 폴리페모스가 피워 놓은 모닥불에 뾰족한 나무 끝을 달궜습니다. 나무 끝이 뜨거워지자, 오디세우스는 부하들과 함께 나무를 들고 폴리페모스를 향했습니다. 오디세우스 일행은 뾰족한 나무로 있는 힘을 다해 폴리페모스의 눈을 찔렀습니다.

"으악!"

폴리페모스가 커다란 비명을 지르며 몸을 일으켰습니다. 폴리페모스는 괴로움에 동굴 안을 여기저기 뛰어다녔습니다. 그 바람에 물건들이 사방에서 떨어졌습니다. 오디세우스 일행은 다치지 않도록 구석에 숨어서 괴물을 지켜보았습니다.

폴리페모스는 자신의 눈을 찌른 오디세우스를 잡기 위해 바닥을 더듬었습니다. 하지만 오디세우스와 일행들은 요리조리 폴리페모스를 피하고는 폴리페모스가 어떻게 행동하는지 구석에 숨어서 지켜보았습니다.

“우티스! 이 아무것도 아닌 자가 나를

이렇게 만들다니! 절대로 용서하지 않겠다. 단 한 명도 이 동굴 밖으로 못 나갈 것이다!”

오디세우스에게 당한 폴리페모스는 너무나 분해서 이리저리 날뛰다가 다시 잠이 들었습니다.

폴리페모스가 잠든 것을 확인한 에우리로코스는 조용히 오디세우스에게 다가와 말했습니다.

"괴물이 앞을 보지 못하게 되었군요. 하지만 밖으로는 어떻게 나갑니까?"

"그거라면 하나도 걱정할 게 없어. 나에게 좋은 생각이 있네. 매일 폴리페모스가 양 떼를 밖으로 내보내지 않는가? 거기에 섞여서 나가면 된다네."

"오디세우스 님, 정말 들키지 않고 밖으로 나갈 수 있을까요? 저는 걱정이 됩니다."

오디세우스는 걱정하는 부하들에게 말했습니다.

"비록 폴리페모스에게 많은 부하를 잃었지만, 더 이상은 그렇게 되지 않을 것이다. 나를 믿고 따르거라."

오디세우스의 말을 들은 부하들의 얼굴이 비로소 밝아졌습니다.

다음 날이 되자, 폴리페모스는 자리에서 일어났습니다. 폴리페모스는 동굴 벽을 더듬어 오디세우스 일행을 찾았습니다. 하도 꼼꼼하게 뒤지는 통에 하마터면 괴물의 손에 잡힐 뻔했습니다.

오디세우스 일행을 잡는 데 실패하자 폴리페모스는 동굴 입구를 지키고 섰습니다. 그러고는 조심스럽게 돌을 치웠습니다.

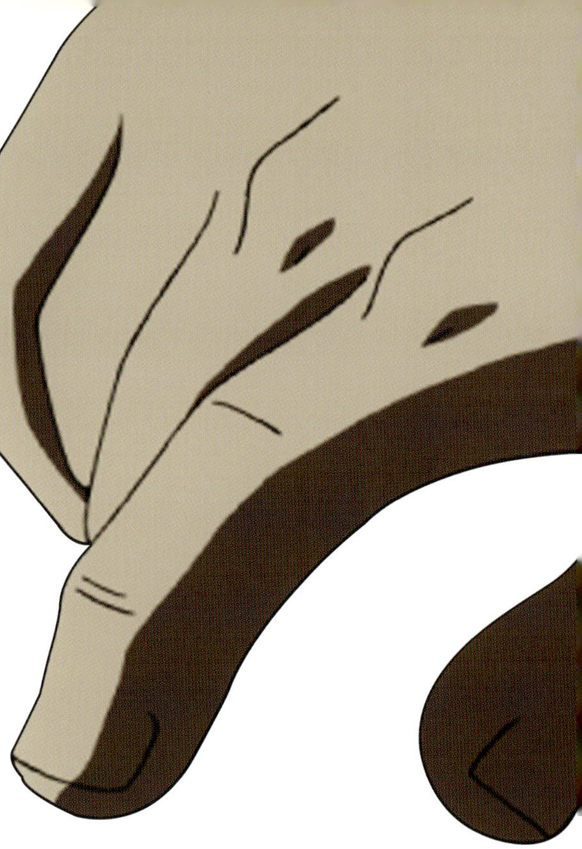

오디세우스 일행은 양 떼 틈에 섞였습니다. 양 떼와 함께 밖으로 나갈 계획이었던 것입니다. 하지만 제일 앞에 섰던 에우리로코스가 잔뜩 겁을 집어먹고는 다시 돌아왔습니다. 오디세우스는 이내 그 이유를 알게 되었습니다. 폴리페모스는 양 한 마리 한 마리를 내보낼 때마다 양의 몸을 여기저기 만져 보아 확인했던 겁니다.

'꽤 치밀한 놈이군.'

오디세우스는 한참 동안 폴리페모스의 행동을 지켜보았습니다. 그러고는 마침내 고개를 끄덕였습니다.

오디세우스는 부하들을 불러 속삭였습니다.

“동굴 안을 뒤져서 밧줄이 될 만한 것을 찾아와라.”

부하들은 폴리페모스가 눈치 채지 못하게 조심스럽게 움직였습니다. 다행히 동굴 안에는 버들가지 껍질이 있었습니다. 오디세우스가 만져 보니 그것들은 밧줄보다도 더 튼튼했습니다.

“자, 됐다.”

“이걸로 뭘 하시려고요?”

“양의 배에 매달려라.

그러면 내가 너희를

이 버들가지 껍질로 묶어 주겠다."

"그러면 괴물한테 들켜 모두 잡혀 죽을 겁니다."

"그렇지 않다. 괴물의 행동을 잘 봐라."

오디세우스의 말을 들은 부하들은 가만히 서서 폴리페모스의 행동을 지켜보았습니다. 폴리페모스는 양의 몸 구석구석을 살피는 듯했습니다. 그런데 배만은 만지지 않고 그냥 내보내는 것이었습니다.

부하들은 차례차례 양의 배에 매달렸고, 오디세우스는 그들을 단단히 묶어 주었습니다. 그러고는 마지막으로 양의 배에 자기 몸을 묶었습니다.

"자, 나갈 때는 조심해야 한다. 아무런 소리도 내지 말고."

"알겠습니다. 대장님도 조심하십시오."

오디세우스 일행을 매단 양들이 폴리페모스를 향해 갔습니다. 폴리페모스는 양들의 몸을 꼼꼼하게 살폈습니다. 하지만 아까 살펴보았던 대로 배에는 손도 대지 않았습니다.

탈출하는 오디세우스

〈폴리페모스의 동굴에서 탈출하는 오디세우스〉 요한 하인리히 퓌슬리

눈이 보이지 않게 된 폴리페모스가 양의 몸을 손으로 만져 살피고 있어요. 양의 배 밑으로 삐죽 나온 오디세우스 일행의 다리가 보이지요.

부하들이 무사히 폴리페모스를 통과했습니다. 마지막으로 남은 오디세우스 또한 무사히 폴리페모스의 손길을 피했습니다.

하지만 아직은 조심해야 했습니다. 자칫 소리라도 냈다간 폴리페모스가 무서운 손으로 양을 들어 올릴 테니까요.

오디세우스는 부하들에게 기다리라고 신호를 보냈습니다. 마침내 마지막 양까지 빠짐없이 동굴을 빠져나왔습니다.

폴리페모스는 이제 동굴에 서서 안쪽을 향해 소리를 질렀습니다.

"하하, 너희는 겁쟁이로구나. 눈도 안 보이는 내게 꼼짝도 못하다니 비겁하기는……."

오디세우스는 폴리페모스가 들을 수 있도록 큰 소리로 외쳤습니다.

"자, 이제 모두 버들가지 껍질을 풀어라."

"예!"

동굴 밖에서 나는 큰 소리에 폴리페모스는 당황했습니다.

"아니, 도대체 언제 빠져나온 것이냐?"

"미련한 네가 어찌 알겠느냐? 우리는 양의 배에 매달려 나왔다."

"뭐라고? 이놈들, 그냥 누지 않겠다."

폴리페모스는 목소리를 쫓아 성큼성큼 다가왔습니다. 하지만 앞이 보이지 않는 까닭에 손만 휘저을 뿐 오디세우스 일행에게는 닿지 못했습니다. 오디세우스는 폴리페모스를 계속해서 놀려 댔습니다.

"이 괴물아, 어디 한번 잡아 보시지."

오디세우스는 실컷 괴물을 놀려 댄 뒤에 바닷가로 달려가 배에 올라탔습니다.

배가 움직이는 소리를 들은 폴리페모스는 커다란 바위를 번쩍 들더니 바다 쪽을 향해 던졌습니다.

"아이쿠!"

바위는 오디세우스가 탄 배 바로 옆에 '풍덩' 하고 떨어졌습니다.

"이제 그만 가시지요?"

"그럴 수 없다. 내 부하들을 잡아먹은 놈이다. 아직도 내 분이 풀리지 않았다."

오디세우스는 폴리페모스를 향해 외쳤습니다.

"바위를 던졌겠다? 하지만 난 아직도 살아 있는걸."

폴리페모스는 *분통이 터져 어쩔 줄을 몰랐습니다. 오디세우스는 그 모습을 한참 지켜본 뒤에야 바다를 향해 나아갔습니다.

*__분통__ 몹시 분하여 마음이 쓰리고 아픔. 또는 그런 마음.

신화 뒷이야기

OLYMPUS GUARDIAN

그리스 신화에는 많은 영웅들이 등장하지요. 그중에서도 오디세우스와 아킬레우스는 창과 방패처럼 서로 다른 성격을 가진 영웅이에요.

아킬레우스가 신의 아들로 태어나 뛰어난 능력을 지니고 있었지만 불 같은 성격을 이기지 못하고 전쟁터에서 죽고 말았던 데에 비해, 한낱 평범한 사람에 불과한 오디세우스는 숱한 위기를 모두 이겨 내고 마침내 고향으로 돌아오게 됩니다.

아킬레우스가 강렬한 감정에 휘말렸던 영웅이라면, 오디세우스는 현명하고 참을성 있는 영웅인 셈입니다. 그리스의 유명한 서사시인 호메로스의 두 작품 《일리아스》, 《오디세이아》가 각각 아킬레우스와 오디세우스를 주인공으로 하고 있는 것도 바로 그러한 까닭입니다.

오디세우스의 모험은 포세이돈이 오디세우스 일행을 미워한 데서 비롯되어요. 트로이를 점령한 그리스 군이 포세이돈의 신전 한가운데서 불경한 짓을 저지르는 바람에 포세이돈의 노여움을 사 이후에 그토록 많은 고난을 겪게 된 것이랍니다.

하지만 오디세우스는 그에 굴하지 않고 집, 고향, 아내와 아들을 찾아 끝없이 항해를 계속하지요. 이 이야기에는 어디에나 존재하는 신의 노여움을 항상 조심하라는 그리스 사람들 특유의 세계관과 함께, 그래도 사람에게는 '집과 가족'이라는 목표가 있어서 이겨 낼 수 있다는 의지가 담겨 있어요.

이런 오디세우스의 이야기는 이후 험난한 여행길을 떠나는 여행자들의 본보기가 되었습니다. 또 별을 따라 끝없이 항해를 하지만, 항상 가족을 그리는 오디세우스의 마음은 수많은 시나 노래로 만들어져 내려왔답니다.

올림포스 신들의 계보

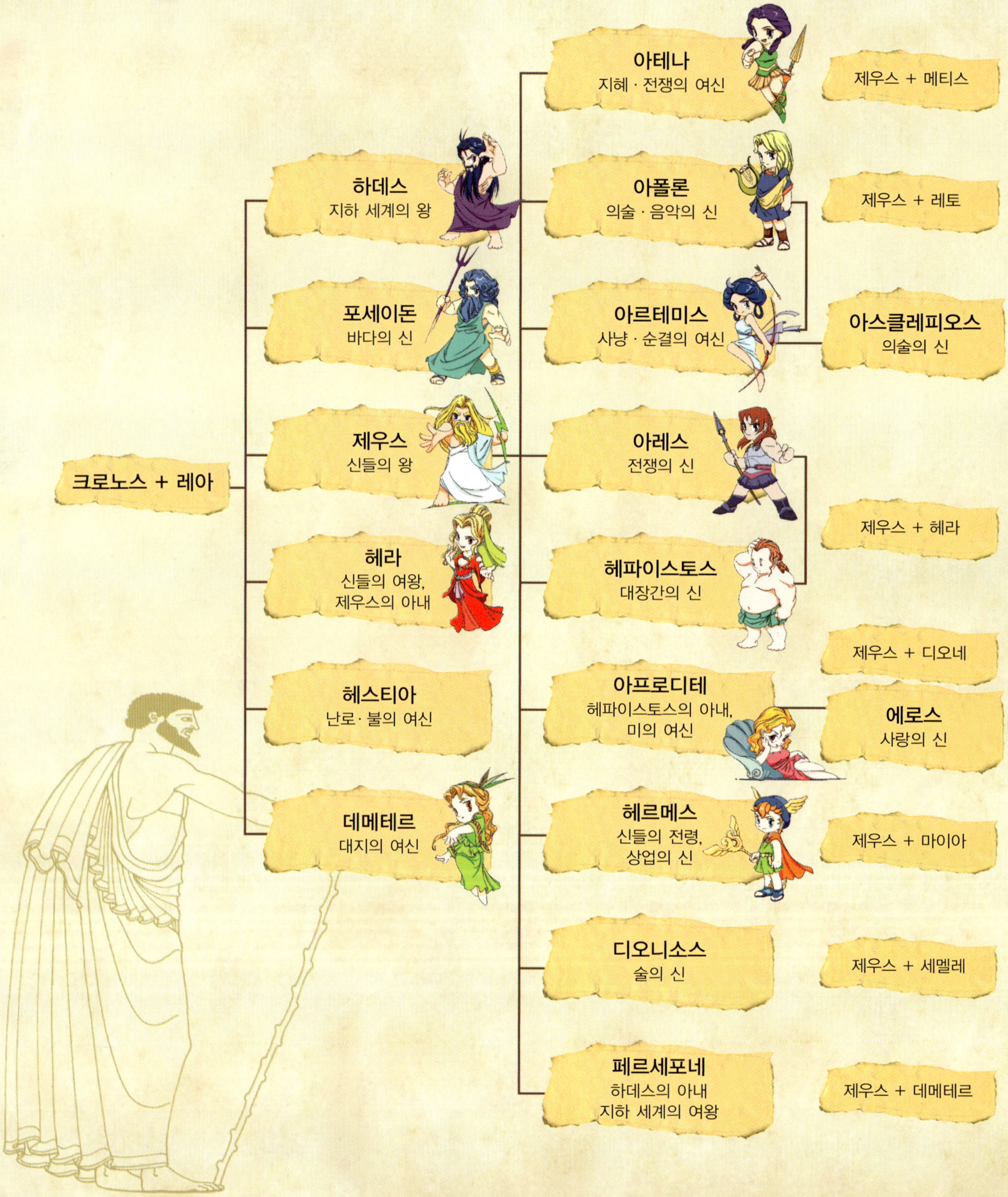
크로노스 + 레아
하데스
지하 세계의 왕
포세이돈
바다의 신
제우스
신들의 왕
헤라
신들의 여왕,
제우스의 아내
헤스티아
난로 · 불의 여신
데메테르
대지의 여신
아테나
지혜 · 전쟁의 여신
제우스 + 메티스
아폴론
의술 · 음악의 신
제우스 + 레토
아르테미스
사냥 · 순결의 여신
아스클레피오스
의술의 신
아레스
전쟁의 신
제우스 + 헤라
헤파이스토스
대장간의 신
제우스 + 디오네
아프로디테
헤파이스토스의 아내,
미의 여신
에로스
사랑의 신
헤르메스
신들의 전령,
상업의 신
제우스 + 마이아
디오니소스
술의 신
제우스 + 세멜레
페르세포네
하데스의 아내
지하 세계의 여왕
제우스 + 데메테르

⚜ 그리스 로마 신화 주요 인물의 이름 ⚜

그리스 어	로마 어	영어
가이아	텔루스	
니케	빅토리아	나이키, 빅토리
데메테르	케레스	세레스
디오니소스	바쿠스	바커스
레아	키벨레	시벨레
아레스	마르스	마스
아르테미스	디아나	다이애나
아테나	아데네, 미네르비	
아폴론	아폴로	아폴로
아프로디테	베누스	비너스
에로스	쿠피드, 아모르	큐피드
오디세우스	울릭세스	율리시스
우라노스	카일루스	유러너스
제우스	유피테르	주피터
크로노스	사투르누스	새턴
페르세포네	프로세르피나	
포세이돈	넵투누스	넵튠
하데스	플루톤	플루토
헤라	유노	주노
헤라클레스	헤르쿨레스	허큘리스
헤르메스	메르쿠리우스	머큐리
헤스티아	베스타	
헤파이스토스	불카누스	벌컨

그리스 로마 신화 올림포스 가디언 57
폴리페모스에게 맞선 오디세우스

펴낸이 양원석
펴낸곳 (주)알에이치코리아
등록 2004년 1월 15일 제2-3726호
주소 서울특별시 금천구 가산디지털2로 53, 20층 (한라시그마밸리)
문의전화 02)6443-8800

ISBN 978-89-255-4369-7(74800)
ISBN 978-89-255-4354-3(세트)

값 **12,800원**

원작 만화로 보는 그리스 로마 신화(가나출판사)
이광진 엮음, 홍은영 그림
명화 구입처 유로크레온(주)